妖怪醫院 2
狸貓宮殿大騷動
文 富安陽子 圖 小松良佳 譯 游韻馨

鬼燈球魔法鈴——這是打開妖怪世界大門的鑰匙。

這個鑰匙是世界上獨一無二的妖怪內科名醫：

鬼燈京十郎給我的。

某天傍晚，我在公園裡不小心跌倒，晃動到魔法鈴。

沒想到這個無心的舉動，

竟讓我又在妖怪世界中迷路了！

目錄

狸貓宮殿大騷動

文 富安陽子　圖 小松良佳　譯 游韻馨

1 鬼燈醫院

你知道嗎？其實妖怪也會感冒；妖怪也會肚子痛、頭痛，甚至閃到腰。而且，這個世界上存在著幫妖怪看病的醫院。那間醫院名為「鬼燈醫院」，是這個世界上唯一一間妖怪內科專科醫院。主治醫生是一位大叔，名字叫做鬼燈京十郎。他留著黑色鬍子，看起來像是一名作風詭異的魔術師。

鬼燈醫院不在我們住的世界裡，而是在另一個世界。加上鬼燈醫生封住了連接人類世界與妖怪世界的大門，避免人類誤闖另一個

世界。正因如此，我們就算上網搜尋，也不可能找到鬼燈醫院的相關資料。

醫生說他光是幫妖怪看診就已經忙不過來，若是連人類都跑來看病，他可受不了。於是封住兩個世界的通道，避免不必要的困擾。

醫生說的沒錯，這個世界上幫人類看病的醫生很多，但妖怪內科專科醫生全世界只有一個。這也是鬼燈醫生每天忙得團團轉的主要原因。

什麼？你問我為什麼知道這些事？

因為我之前不小心誤闖通往妖怪世界的鬼燈小路。那次經驗讓我吃了不少苦頭——鬼燈醫生強迫我留在醫院裡招呼病人，還要我外出當他的助手，幫鬼打預防針。

話說回來，鬼燈醫生似乎對我當時的表現很滿意，在我離開之前還給我獎勵。

他給我一把鑰匙——那不是普通鑰匙，而是可以打開妖怪世界入口大門的鑰匙。醫生告訴我，只要我搖晃那顆小小

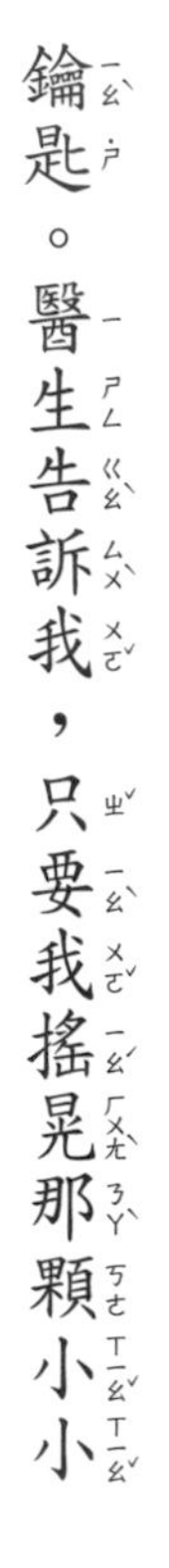

的鬼燈球魔法鈴，鬼燈小路的入口就會打開。

我每天都將魔法鈴鑰匙小心翼翼的放在褲子口袋，不過，我從來沒想過要用它。要是又到妖怪橫行的世界，被鬼燈醫生使喚來使喚去，我一定會吃更多苦頭。

雖然心中這麼想，我卻因為一個不小心的舉動，打開了妖怪世界的入口。

2 在橡果公園的入口

一切的錯誤要從橡果公園入口處的那顆大石頭開始說起。

那顆石頭藏在草叢裡——我從來不知道那裡有一顆石頭，也沒想過那顆石頭是前往異世界的印記。

那天我跟以前一樣，放學後和一群同學到橡果公園玩躲避球，玩到盡興才回家。當天晚餐媽媽煮了關東煮，吃飯時媽媽對我說：

「恭平，今天一定要將你換下來的髒衣服拿出來洗。還有，你這週是營養午餐值日生對吧？值日生袋子①裡的帽子、圍裙那些東西也

要全部丟進洗衣機喔！」

我吃著酥脆的炸牛蒡，一邊用鎮定的語氣回答：「喔，知道了。」

同時內心不禁警鈴大作，大感不妙。

我記得下午在公園玩躲避球的時候，為了避免弄髒值日生袋，我將值日生袋放在長椅上。

但是我想不起來我有沒有將袋子帶回家——到底有沒有呢？

我一定忘了。喔！我想起來了，我真的沒帶回來。

怎麼辦？

我一定要在媽媽發現這件事，並且開始發飆之前，趕快將袋子拿回來！於是吃完飯後我偷偷溜出門，跑到橡果公園拿值日生袋。

我跑到公園的時候，天色已經開始暗下來，暗紫色的晚霞籠罩著公園裡的格子攀爬架和秋千。長椅位於公園最深處的藤架下，那裡看起來更加昏暗。

在昏暗天色中，我看到一個特別顯眼的白色物體，那是我的值日生袋。

我開心的大喊：「找到了！」並加快腳步跑進公園。

平時我會從入口處的兩根小石柱中間進入公園，但那天我太著急了，直接從路邊的草叢跳進去。

雙腳著地時，我發現我的右小腿好像撞到某個堅硬的物體。我一時重心不穩，整個人往前倒。

接著我「哇」的大叫一聲，同時聽到一陣清脆的鈴鐺聲。

我原本整個人趴在地上，拍了拍疼痛的右小腿站起來，突然發現大事不妙。

原本放在口袋裡的鬼燈球魔法鈴竟然掉出來了！

剛剛聽到的鈴鐺聲就是它發出來

的聲音。

我忍不住猜想：鬼燈球魔法鈴響了，妖怪世界的入口大門該不會也打開了？

我吞了一口口水，小心翼翼的去撿掉在地上的魔法鈴。比起腳上的疼痛，撲通撲通的心跳聲更讓我不知所措。

我小聲的安慰自己：「……該不會這麼巧吧？」一邊緊緊握住手裡的魔法鈴。當初為了避免魔法鈴發出聲響，我刻意把它收在很深很深的口袋裡，沒想到一不注意，它竟然掉出來。

我安慰自己：「魔法鈴在這個地方響起，應該不會有事吧？這裡不可能是妖怪世界的入口吧？」我不確定這些話是否能讓自己好過一點。我坐在地上瞠目結舌的環顧四周，久久無法動彈。

我發現自己在一個陌生的地方——這裡到底是哪裡？我為什麼會在這裡？橡果公園到哪裡去了？長椅呢？值日生袋又去哪兒了？

①日本小學各班級負責打菜的學生必須帶值日生袋上學，裡面放著帽子、口罩和長袖圍裙。

3 貓在唱歌！

我的前方出現一個從未見過的十字路口。雖說是十字路口，但這裡沒有紅綠燈，也沒有斑馬線。只有兩條沒鋪柏油、路面凹凸不平的道路從遠方延續過來，在我眼前交錯之後，再各自往另一邊延伸而去。

道路四周是一片廣闊的森林。無論在我身後或眼前皆矗立著高樹，看不見森林的盡頭。垂直交叉的道路在草叢和森林間闢出一塊方形空間，半圓形的月亮高掛在天空，照亮十字路口的四個角落。

低頭一看，我的腳邊有一顆又大又圓的石頭，我一氣之下用力踢了那顆石頭。

我生氣的大叫：「到底是誰把這麼大顆的石頭放在這裡！就是這顆礙事的石頭害我跌倒！」

此時吹起一陣大風，矗立在十字路口四周的樹木，被風吹得沙沙作響。樹梢枝葉左搖右晃，看起來像是搖著頭反駁我的說法。

這個景象讓我愈看愈害怕，我忍不住回頭看了一眼。我的身後只有一片漆黑的森林。就在這個時候，我聽見一股很輕很細的聲音，隨著風從黑暗森林的深處傳來。

由於聲音被風吹得支離破碎，根本聽不出完整的詞句；剛開始我以為是自己的幻聽，但再仔細一聽，我真的聽見黑暗森林的深處有一股聲音傳過來。

那股聲音很細微，宛如捏皺紙張時發出的窸窣聲。我專注的聆聽，發現這股聲音很特別，聽起來像是有人在唱歌——有人正在低沉的、小聲的吟唱著。

我看向聲音傳來的地方，好奇究竟是誰在唱歌。

我完全忘了小腿撞到石頭的疼痛，慢慢站起來。我放慢呼吸，躡手躡腳的往森林深處走。由於天色昏暗，我伸出雙手摸著樹幹往前進。我踩過腳下的茂密雜草，繞過一顆又一顆的樹。

每往前走一步，那神奇的歌聲就愈清晰；我不禁心跳加速，愈來愈緊張。隨著聲音愈清楚，我知道只要撥開眼前茂密的樹叢，就能看到是誰在唱歌。可是，我該怎麼做，才能在不引起對方注意的情形下撥開樹叢？

就在這個時候，樹林裡正好吹起一陣強風，不只是樹梢，連我眼前的樹叢也搖晃得很厲害，發出吵人的沙沙聲。我決定在自然噪音的掩護下，趁機撥開高聳如牆的樹叢。

我深吸一口氣，心中默數一、二、三！

我用像是游泳時往外划水的姿勢撥開枝葉，睜大雙眼一看，忍不住在內心吶喊：「是貓！是一隻貓！是一隻貓在唱歌耶！」只見眼前的貓開口唱著：「南無哆囉夜耶，南無哆囉夜耶。訶囉訶囉，喵訶囉，薩婆訶。」仔細一聽，那隻虎斑貓不是在唱歌，而是像吟唱般的低喃著咒語。

我拚命忍住大聲尖叫的衝動，心裡想著：「最不願意發生的事情果然發生了……」我又再次進入妖怪世界。我可以確定這裡是妖怪們生活的世界。那隻低誦著「南無哆囉夜耶」的虎斑貓一定是貓妖。儘管他看起來像一隻普通的虎斑貓——棕色毛皮加上黑色斑紋——但他逃不過我的眼睛。

虎斑貓的背後有一座小池塘，從雲層縫隙灑下來的月光照射在水面，為黑暗的空間帶來一絲光亮。虎斑貓將尾巴泡在池子裡，浸溼的尾巴緩緩的在池子裡攪拌，他的口中一邊唸著咒語。

隨著尾巴攪拌的動作，閃閃發亮的水面看起來彷彿水銀一般，掀起平靜的漩渦。

「南無哆囉夜耶，南無哆囉夜耶……」貓妖的尾巴持續攪動池水，嘴裡不停唸著神祕的咒語。

我決定在他發現我之前離開這裡——我在等待最好的撤離時機。

好不容易森林又吹起一陣強風，我趕緊抓住這個機會，從窸窣作響的樹叢往後退，放輕腳步往原路走回去。

樹叢另一邊再次傳來貓妖唸咒語的聲音：「南無哆囉夜耶，南無哆囉夜耶。訶囉訶囉，喵訶囉，薩婆訶。」

我一邊走著一邊猜想貓妖在唸什麼咒語？他嘴裡唸著咒語，尾巴攪動池水，不知道會發生什麼事情？我也很想知道他為什麼要這麼做？

我想弄清楚的不只是這些事，我更想知道這裡是哪裡？

我知道只要鬼燈球魔法鈴一響，妖怪世界的入口大門就會打開。不過，之前我誤闖妖怪世界時，連接入口的是一條狹長的鬼燈小路。走出小巷之後，來到鬼燈醫生的醫院。

但這次根本沒有鬼燈小路，也沒有鬼燈醫院。在沒有任何徵兆的情況下，我突然迷失在妖怪世界裡。

這下子我該怎麼辦才好？我該怎麼做才能回到原來的地方，也就是橡果公園的入口處？要是妖怪世界也有派出所就好了，至少我可以問妖怪世界的警察怎麼去鬼燈醫院……

我滿腦子都是各種問題，一回神才發現，我差點走過剛剛的十字路口。

在我快要走過十字路口時，發現前面有東西擋著去路，我趕緊停下腳步查看。

我定睛一看，忍不住驚呼：「咦？這是什麼啊？」十字路口的正中央放著一個既像箱子，又像小屋，也像轎子的物體。

我喃喃自語：「這應該是轎子吧？古人乘坐的那種轎子。」

皎潔的月光照在轎子上，某個身影突然從轎子後方冒出來。

4 貍貓宮殿

那個神祕的身影是一隻頭綁麻花頭巾的貍貓，我嚇得往後退了一步。

貍貓小聲的說：「您好，晚安。小的有幸拜見金長大人，您遠道來訪，辛苦了。」

我不知道這隻貍貓在對誰說話，我趕緊四處張望，查看附近是否有其他人。

我環顧十字路口與往四方延伸的道路，沒看到任何人影，不，是沒看到任何妖怪的影子，只有我與貍貓兩個人……不對，是一個人和一隻妖怪。

我沒有回答，只是慌張的左顧右盼。頭綁麻花頭巾的貍貓看我一臉不知所措的樣子，忍不住擔心起來，接著問：「那個，您好，請問您是金長大人嗎？」

我立刻搖頭否認：「我不是。」

「哎呀！您又來了！別再開玩笑了。」

我趕緊解釋：「我沒有開玩笑。我不叫金長大人，我的名字是峰岸恭平。」

沒想到頭巾貍貓竟然不理我，還說：「哎呀！您的變身術真是出神入化，簡直就跟人類一模一樣，聞起來也跟人類沒有兩樣。」頭巾貍貓往我身上靠，動了動鼻子，用力聞我身上的味道，露出滿意的笑容。「放眼貍貓界，能變身得如此完美的，唯有金長大人您一個啊！請別再跟小的開玩笑了。時候不早，我家館主大人②還在等您呢！請跟我來，我送您到館主大人住的『貍貓宮殿』。請上轎。」

我驚慌的大喊：「不行啦！我不是你的主人在等的金長大人，我不要去宮殿。」

儘管我拚命拒絕，頭巾狸貓還是走到我前面，拉開轎子的拉門，對我說：「大人，請上轎。」

頭巾狸貓一說完話，轉頭看向轎子裡，突然破口大罵：「喂！同組的，我還在想你這傢伙跑哪去了，竟然在這裡偷懶睡覺！趕快起來，我們要出發嘍！」

沒想到轎子裡還有另一隻狸貓正在呼呼大睡。

頭巾狸貓看到自己的夥伴在轎子裡睡覺，不禁怒火中燒，抓起對方的尾巴往轎外甩。我還來不及驚呼，整個人就被推進轎子裡。

「你聽我說，你真的找錯人了，放我下來！」無論我如何喊叫，都無法阻止他。

我眼睜睜的看見拉門被關上，感覺轎子被抬起來，還聽見轎外響起「嘿喲！嘿喲！」的叫聲。

轎子開始左右搖晃，我的身體也跟著轎子左搖右晃。由於搖晃得太劇烈，我差一點往後倒，趕緊抓住從轎子天花板垂掛而下的繩子，穩住身體。

我坐在轎子裡，那兩隻狸貓抬著轎子「嘿喲！嘿喲！」的叫著，往狸貓宮殿前進。

「嘿喲！嘿喲！」

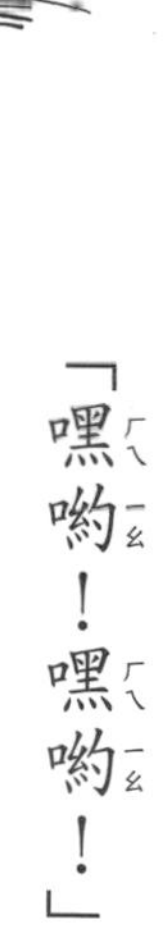

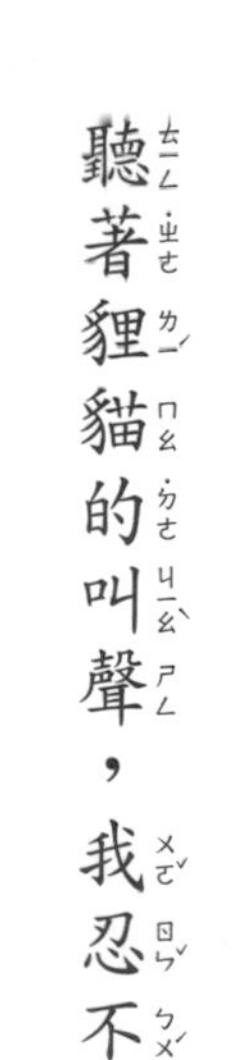

「嘿喲！嘿喲！」

聽著貍貓的叫聲，我忍不住嘆了一口氣。「真希望我沒來……每次闖入妖怪世界都沒好事……」

事到如今，說再多也沒用。

我原本想跳下轎子跑掉，但不知道會跳到什麼地方，也擔心會遇到更詭異的妖怪。

此時，我的腦中突然冒出一

個念頭：「不用跳啦，狸貓的腿那麼短又跑不快，想逃用走的就好！」哎呀！現在不是取笑狸貓的時候，我得趕快想辦法才行。

遺憾的是，我還沒想到辦法，轎子就已經抵達目的地了。

「嘿喲！嘿喲！」的叫聲戛然而止，我的身體也不再搖晃。我可以感受到轎子被慢慢放在地上。

此時，我的頭頂上方傳來一陣威武的聲音說：「金長大人駕到！」

說完之後，我聽見有人往我這裡走過來，在轎外停下來，用沉穩的聲音說：「歡迎金長大人大駕光臨，小的終於盼到您了。大人請下轎，裡面請。」

儘管對方催促我下轎，但我真的不想出去。

對著我說話的人的聲音相當威嚴，地位應該不低；他誤以為我就是「金長大人」，事實上我根本不是「金長大人」，也不是貍貓。要是我現在下轎跟他說明一切，不知道會有什麼後果？他會不會惱羞成怒，對我發飆啊？

唉，我該怎麼辦才好？正當我在煩惱的時候，轎子的拉門突然被拉開。那隻頭巾貍貓為了化解僵局，特地幫我開門。真是個多管閒事的傢伙。

我小心翼翼的探出拉門外查看，看見一隻貍貓站在眼前。

那不是一隻普通的狸貓，而是一隻渾身散發威嚴氣勢的雄偉狸貓。他有著尖尖的鼻子，圓滾滾的大眼睛，突出的肚子，還有粗粗的尾巴。我不禁讚歎，日本最知名的信樂燒③狸貓陶器，肯定是以他為範本燒製而成。

這隻氣派的狸貓老爺穿著有

花紋圖案的正式和服，他對著我鞠躬，讓我感到十分惶恐。

我畏畏縮縮的對他說：「那個……」話還沒說出口，貍貓老爺便開心的對我說：「小的真是萬分佩服啊！金長大人。您的變身術絲毫沒有破綻，不愧是變身高手，無人能出其右。您跟人類簡直是一模一樣啊！」

「不是……總之……不對，我要說的是，我其實是人類……」我邊發抖邊說出實情，貍貓老爺聽了哈哈大笑，肚子跟著上下抖動。

「您還是跟往常一樣愛說笑，總是喜歡捉弄我。話說回來，金長大人，今天您不用再搞笑了。您看過我寫給您的信了嗎？

「不瞞您說，我家發生了一件大事，急需貍貓界長老的意見，我才會特地拜託您過來。求求您幫幫我，為小的指點迷津。我只有這麼一個兒子，如今他罹患怪病，誰都醫不好。求求您救救我的寶貝兒子啊！」說完，貍貓老爺對著我深深一鞠躬。

聽他這麼說，我再也無法呆坐在轎子裡見死不救。「算了，管他的。我說實話他們也不相信，隨他們去吧！」我一邊想著，決定不再白費力氣表明身分，於是爽快的走下轎子。我站在貍貓老爺面前，仔細觀察四周。

我發現自己站在一個鋪滿白沙的中庭中央，對面是一棟類似古代領主或大名[4]住的傳統日式宅邸。環繞建築物四周的迴廊，連結著一棟又一棟的氣派別館。

此時天色昏暗，房屋四周掛起燈籠，透著柔和光線。

我猜這裡就是頭巾貍貓說的貍貓宮殿；這位到中庭迎接我的貍貓老爺，應該就是他口中的館主大人，也就是這座宅邸的主人。

「你們都下去吧！」館主大人一聲令下，一直守在轎子兩旁的頭巾貍貓與他的夥伴抬起空轎子，離開中庭。

中庭只剩下我跟貍貓老爺兩人……不，是一個人和一隻妖怪。

我戰戰兢兢的站在原地，內心十分害怕。

我從沒看過這麼大隻的狸貓，也是這輩子第一次看到用雙腳站立，還會說話的狸貓。

我不知道自己該怎麼做，也不知道該說什麼，只是呆呆的站著。不一會兒，狸貓老爺在我面前神情悲傷的嘆了一口氣。

「事不宜遲，金長大人，請您先看看我兒子的狀況吧！三天前他還活蹦亂跳的……不知道為什麼現在會染上這種病……」狸貓老爺一邊說著，一邊帶我穿過中庭，走上連接迴廊的木樓梯。

走上樓梯後，狸貓老爺停下腳步，站在一整片面向中庭的紙拉門前。他轉身對我點頭，示意我走過去。

事到如今，我只有放手一搏了。

下定決心後，我深吸一口氣。將運動鞋脫在白沙中庭邊，走上木樓梯。

狸貓老爺等我走上樓梯後，伸出長滿濃密體毛的大手，迅速拉開其中一片紙拉門。拉門裡是一間昏暗的寬敞和室。

②日本室町時代到戰國時代，家臣對其藩主的尊稱。
③日本六大古窯之一，指的是使用滋賀縣甲賀市信樂附近丘陵地特有的優質陶土燒製成的陶器。成品呈現溫暖人心的緋紅色，是其特色所在。
④統領封地的武家藩主，類似中國古代的諸侯。

5 少爺生病了

那是一間鋪著幾十片榻榻米的寢室，內部空間十分寬敞，正中央放著一床精緻高雅的被褥。

房裡只有一盞放在枕邊的燭臺搖曳著燭光，感覺十分昏暗。

被子不是平的，而是往上隆起，感覺有人躺在裡面——我猜那應該是染上怪病的貍貓老爺的兒子。我站在紙拉門外往裡看，看不見病人的模樣。只聽見寬敞和室裡傳來細微的打呼聲，同時看見隨著打呼聲上下起伏的被子。

狸貓老爺對我「噓」了一聲，提醒我不要發出聲音，接著轉身往屋裡的被窩走去。狸貓老爺示意我跟他走，我輕手輕腳的跟在他身後。

我們一起走到被窩旁，狸貓老爺直接坐在榻榻米上。我也跟著挺直背部，跪坐在狸貓老爺旁。

狸貓老爺看著我，意味深長的點點頭，在我眼前輕輕掀開被子。我下意識的探出身體，仔細觀察被子裡的病人。看到眼前景象，我不禁感到奇怪。

被子裡躺著體型比狸貓老爺小一圈的狸貓少爺，正在呼呼大

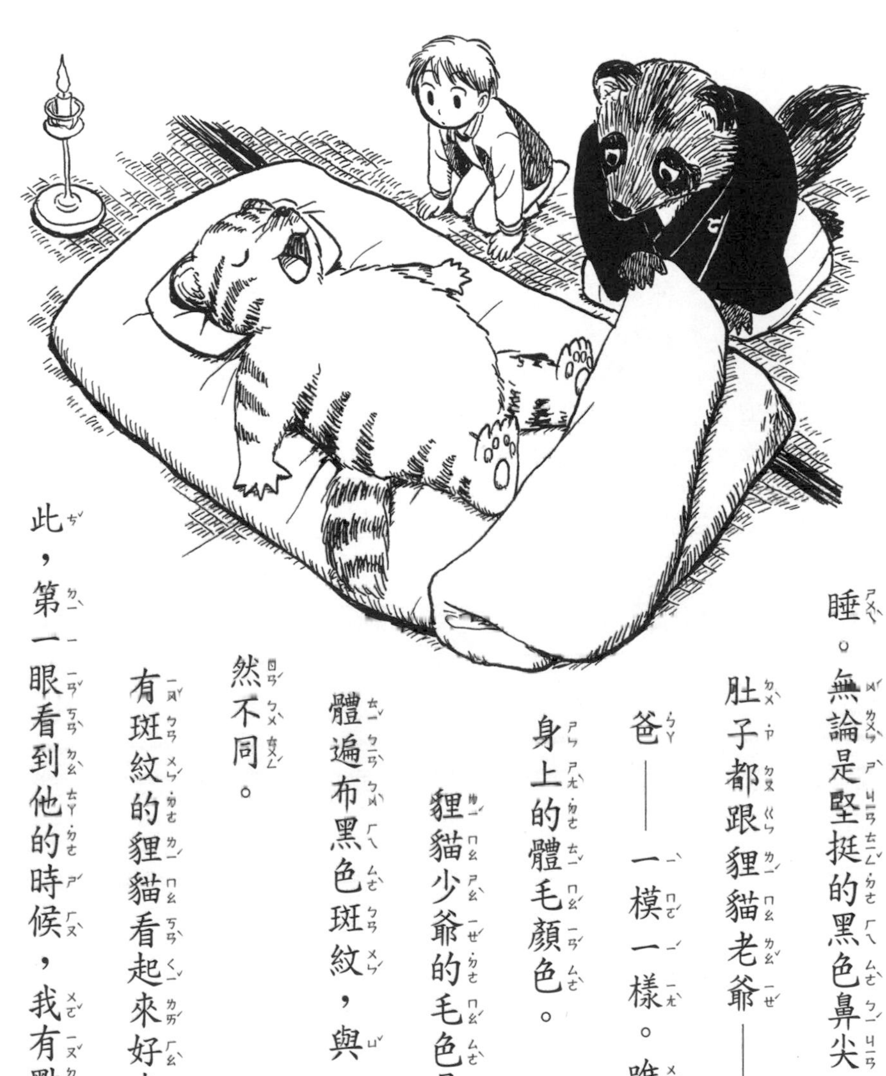

睡。無論是堅挺的黑色鼻尖、圓圓胖胖的肚子都跟貍貓老爺——也就是他爸爸——一模一樣。唯一不同的是身上的體毛顏色。

貍貓少爺的毛色是棕色的，身體遍布黑色斑紋，與一般的貍貓截然不同。

有斑紋的貍貓看起來好奇怪。正因如此，第一眼看到他的時候，我有點不能接受。

我心想：「咦？這個世界上有長這樣的貍貓嗎？」貍貓老爺看著我深思的臉，再次悲傷的嘆口氣。

貍貓老爺正想開口，此時不知從哪裡傳來一陣騷動。

「館主大人！館主大人！發生大事了，發生大事了！」

「什麼事吵吵鬧鬧的？給我安靜下來！安靜！」貍貓老爺暴躁的大聲喝斥。

外面傳來繞著迴廊奔跑的腳步聲，一隻隨從模樣的貍貓突然從門口探頭進來。

貍貓老爺忍不住大吼：「發生什麼事？不要大聲嚷嚷，小心吵醒少爺。」狸貓隨從趕緊退出房間，低頭跪坐在走廊。

「請大人恕罪！啟稟大人，有一件重要的事情必須向您稟報。門口守衛回報，有一名自稱『阿波金長』的狸貓正在大門等候。」

聽到這句話，我的心好像被猛然撞了一下。糟了！我慘了！要東窗事發了。

狸貓老爺一聽也驚慌失措，瞠目結舌的看著我，接著說：「這是什麼傻話？金長大人明明就在這裡……」

「那個……其實……」我正要開口說話，身後傳來一個比狸貓老爺的聲音更沉穩、更有威嚴的聲音說：

「我說啊，館主大人！你已經老糊塗到分不清真假了嗎？我才是貨真價實的金長啊。坐在你身旁的是個冒牌貨！」

我和貍貓老爺嚇了一跳，同時回頭看。

只見在走廊低頭跪坐的貍貓隨從身後，出現了另一隻身形龐大的貍貓。那隻巨型貍貓真的很高大——貍貓老爺已經夠高大了，但這隻巨型貍貓比貍貓老爺還要大三倍！他的頭頂到門楣，必須彎腰才能進到屋子裡。

巨型貍貓的眼睛像盤子一樣大，正巧在門楣下方，盯著我不放。

我緊張的吞了一口口水，接著對看著我的貍貓老爺說：「我告

訴過你，我不是金長大人……還記得嗎？我早就告訴你我不是了……」

沒想到貍貓老爺突然大喊：「來人啊！給我抓起來！把這個冒牌貨給我抓起來！」

我忍不住回嘴：

「我才不是冒牌

貨！我不是來騙人的！明明是你們自己把我當成金長大人。我從一開始就跟你們說我是人類，我沒有騙你們！」

屋外傳來一群貍貓跑過迴廊的聲音，只見五隻貍貓隨從跑進屋裡，隨即把我團團圍住。

貍貓隨從們張著圓滾滾的眼睛盯著我，尾巴膨脹變大，背上的毛也全部立起來，擺出攻擊姿勢。他們只要往前一跳就能捉住我。沒有人聽我解釋；照這個情形看來，我也不可能逃出去。我決定放棄抵抗，乖乖就範。

我沉默不語，貍貓老爺起身看向站在門楣下的金長大人，深深

一鞠躬。

「金長大人，很抱歉讓您看笑話。我真是顏面掃地，太丟臉了。都怪這傢伙看起來太像是人類，我才誤以為是您變身的。因為狸貓界裡沒有任何狸貓能像您一樣，變得比人類還像人類。」

金長大人一聽，立刻開心

的說：「一點小事無須在意。話說回來，這傢伙真的不是省油的燈，連人類的味道都能變出來，真令人敬佩。趕快把他抓起來，看看他的真面目吧！」

眼見情況不妙，我趕緊插嘴：「我不是妖怪，我沒有變身！」

我根本沒有「真面目」，要是被他們抓起來，那就慘了。

我繼續解釋：「我不是變身成人類的妖怪，我原本就是人類！」

貍貓老爺盯著我說：「你說謊！人類的小孩不可能到這裡來，沒有人類到得了這裡。」

「不是這樣的……這一切都是有原因的……」正當我猶豫著該不

該說出鬼燈球魔法鈴的時候，救星登場了！一個驚天動地的聲音大聲稟報：

「醫生大人駕到！鬼燈京十郎醫生登門複診！」

6 鬼燈京十郎醫生登場

聽到醫生的名字，我不禁驚呼：「不會吧！」

貍貓老爺也大喊：「什麼？鬼燈京十郎來了！」接著咬牙切齒的說：「那個庸醫，竟然還有臉大搖大擺的走進來！我家兒子就是吃了那個庸醫的藥，才會染上怪病！」

他說完還惡狠狠的瞪著我。「小子，你剛剛聽到鬼燈京十郎的名字就跳了起來，看來你知道他。你認識那個庸醫嗎？」

「嗯？呃……不，我不認識他。」貍貓老爺氣勢洶洶，嚇得我不

知所措，連忙搖頭否認。要是被他發現我認識鬼燈醫生，我一定會很慘。

金長大人無視身旁的騷動，他用大如盤子的雙眼緊盯著被褥上的貍貓少爺，不由得驚嘆一聲。

金長大人說：「這是怎麼一回事？貍貓少爺怎麼會全身都是斑紋？這下可麻煩了，我從來沒看過這種斑紋病。」

金長大人的話提醒了我和貍貓老爺，現在最重要的是貍貓少爺的病情。我們停止爭執，一起看著躺在被褥上的病人。

圍著我的五隻貍貓隨從也不知所措，紛紛看向全身都是斑紋的貍貓少爺。

最令我佩服的是，身邊發生了這麼大的騷動，全身遍布斑紋的貍貓少爺還能四肢大張，露出肚子呼呼大睡，睡功真厲害。

房子裡陷入一陣沉默。正當我們默默盯著長著斑紋的貍貓少爺，走廊傳來朝和室前進的腳步聲。接著，我聽見一個熟悉的聲音連珠炮似的喃喃自語：

「怎麼啦，怎麼啦！今天晚上房子裡好熱鬧啊！發生什麼事了嗎？這隻大個子貍貓又是誰啊？抱歉，別擋路，讓我過去啊！」

只見一個人影從金長大人的身後竄出來，走入房間裡。

他的頭上戴著一個反射鏡，胸前掛著聽診器，一手提著黑色看診包。身上穿著一件白色長袍，臉上還留著造型獨特的鬍子。在一群貍貓的注視下，鬼燈京十郎醫生隆重登場。

「大胃王少爺的身體狀況如何啊？」鬼燈醫生一邊說話一邊環顧四周，正巧與我四目相接。

他不禁驚呼：「啊！你是峰岸恭平！」

鬼燈醫生沒想到我會在這裡，他驚訝的說出我的全名，嘴巴張得大大的。我的心情很複雜，不知道該高興還是沮喪。雖然在陌生的妖怪世界遇到認識的人很開心，偏偏我認識的是鬼燈醫生，我根本不知道他能不能幫我脫離險境。

「我就說你們兩個認識，你剛剛還否認！你從實招來，你是不是這個庸醫派來打探消息的？」正當貍貓老爺揮動他那雙短短的手，準備開口大罵我，鬼燈醫生卻瞇著眼睛，看起來非常不高興。

「不要亂說別人的壞話。」醫生的聲音鏗鏘有力，他瞪大惡魔般的眼睛盯著貍貓老爺。「你說打探消息是什麼意思？竟然以小人之心度君子之腹！還有，你剛剛是不是說我是庸醫？」

「沒錯，我是這麼說的！」貍貓老爺也不甘示弱，跟醫生對罵了起來。「你就是個庸醫，我說的是事實，有什麼不對？我兒子就是吃了你開的藥才會變成這樣！」

「變這樣是怎樣？你也不想想你兒子一口氣吃下兩百六十五顆蕎麥饅頭，吃到肚子痛，最後是吃了我調製的止痛藥丸才好的。那可是一吃見效的藥丸哪！你還敢說我是庸醫？」

貍貓隨從們屏住氣息，靜靜看著鬼燈醫生和貍貓老爺脣槍舌戰。

「住、住口！你給我住口！你還敢說那是止痛藥？我兒子自從吃了那顆藥之後，全身從頭到尾巴布滿黑色與棕色的斑紋，你要怎麼解釋！」

「黑色與棕色斑紋？變成全身遍布斑紋的貍貓？」鬼燈醫生像是發現新大陸，對貍貓老爺說的話很感興趣。他原本瞪著貍貓老爺的眼睛突然放大，接著轉身查看躺在被窩裡的病人。

四周突然一片沉默，一股緊張沉重的空氣在房間裡流動。所有的人都在等鬼燈醫生開口說話。

「嗯，這真是太有趣了。」醫生突然開口。

「什麼叫這真是太有趣了？你是什麼意思？還不快將我兒子醫好！都是你開的藥害的，我兒子才會變這樣，你要負責！」貍貓老爺太過激動，尾巴跟著膨脹起來，他不斷拍打自己的肚子，發出砰砰砰的聲音。

我在一旁看得緊張兮兮，鬼燈醫生本人倒是很鎮定。只見他走到被窩旁，跪坐在病人枕邊，拿起聽診器放在貍貓少爺的肚子上。

貍貓老爺見狀又開始大吼大叫：「滾開！不准你碰我兒子，把你的髒手拿開！你再繼續這樣，我就跟你沒完沒了。我會立刻將你大卸八塊，再丟進鍋裡煮！」

令人驚訝的是，金長大人剛剛一直保持沉默，此時卻開口說話：「館主大人，請你稍安勿躁。我可以理解你生氣的原因，但你不能在沒有證據的情況下就定醫生大人的罪。先確定你兒子變成斑紋貍貓是不是醫生大人開的藥造成的，再定他的罪也不遲。」

「金長大人，請您別攔我。根本不用確定，早就罪證確鑿了。我

兒子只吞下一顆藥丸，全身的毛瞬間變成斑紋圖案，這可是我親眼看見的啊！」狸貓老爺憤恨不平的哭訴著。

金長大人疑惑的問：「這樣啊？只吞一顆就變成那樣？那麼剩下的藥丸，你如何處理？」

「剩下的藥丸我收起來了，全部都在這裡。我不可能再讓兒子吃這種危險的藥。」狸貓老爺從懷裡拿出一個裝著藥丸的小袋子。金長大人一看到那個袋子，眼睛立刻閃出精光，對狸貓老爺說：「藥還在就好辦事。不如這樣，你讓別人吃吃看那個藥丸，就知道是不是藥有問題了。」

7 一口氣吞下去

「讓別人吃這個藥？」狸貓老爺疑惑的問。

金長大人點點頭：「沒錯，這麼做就知道你兒子的病是不是這個藥造成的。」

「原來如此……」狸貓老爺看著手中的藥袋陷入沉思。

鬼燈醫生也跟著附和：「這是個好主意。」

所有的狸貓一起看向鬼燈醫生。

只見鬼燈醫生帶著從容的微笑，走到狸貓老爺面前，伸出一隻

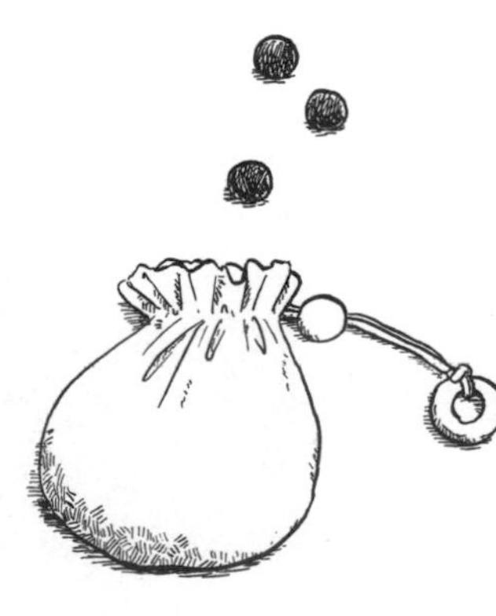

手說：「把藥給我。我會證明給你看，這絕對不是什麼奇怪的藥丸。」

儘管一肚子火，貍貓老爺還是心不甘情不願的從袋子裡取出一顆跟豌豆一樣大的黑色藥丸。

老實說，事情發展到這裡，我開始覺得鬼燈醫生是個有魄力的男人。不管貍貓老爺如何罵他，他都不為所動，挺身而出維護自己的清白。他的表現真的好酷！

但……後來證明這一切都是我自己一廂情願的想法。

鬼燈醫生從貍貓老爺手中接過藥丸，面帶笑容的轉身看向我，我立刻發現自己剛剛的想法有多蠢。不僅如此，我心中也突然湧現

一股不祥的預感。

鬼燈醫生對我說：「恭平，把這顆藥一口氣吞下去。這藥吃起來有點苦，但這也是沒辦法的事情，人家都說良藥苦口啊！」

「為什麼要我吃？為什麼是我？」我簡直不敢相信自己的耳朵，說著說著都快哭出來了。

「我也很想親自驗證藥丸的效果，」鬼燈醫生一臉平靜的說：「但這顆藥是我調製的，就算我吃下之後沒事，他們也不會相信我。而且可能認為我事先準備了解藥，或動了什麼手腳——這樣無法洗清我的冤屈。所以，我只能拜託你了。」

「這是什麼道理啊！」我回答。

「你現在不明白沒關係，不要想太多，把這顆藥吞下去吧！不要怕，不會有事的。這只是治療肚子痛的藥丸。來吧，把嘴張開。我數到三就吞下去，一、二、三！」

我猶豫著不知道該不該吃這顆藥，將我團團圍住的貍貓隨從開始鼓譟，對著我大喊：「快吞下去！」「還在磨蹭什麼？」

鬼燈醫生也失去耐性，板起臉命令我：「不要拖拖拉拉，快點吞下去！」

虧我剛剛還覺得鬼燈醫生很有魄力，我真是看錯人了！最後我放棄抵抗，對醫生說：「好啦，我知道。我吞就是了，這樣可以了吧……」接著我張開嘴，鬼燈醫生把藥丸丟進我的嘴裡。

我立刻將藥丸吞下去。這顆藥真的好苦，我忍不住皺起臉來。

這顆藥真的是太苦了！我縮起舌頭，頭皮一陣發麻。儘管藥丸已經吞進肚子裡，我的食道還是感覺苦苦的。

為了減輕口中的

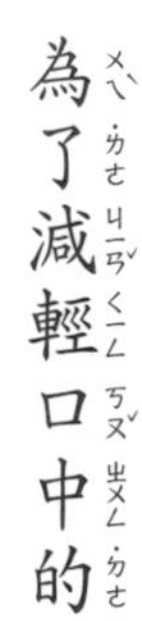

苦味，我像小狗一樣伸出舌頭，不斷往外吹氣。鬼燈醫生看到我的反應，滿意的笑了。

他對大家說：「你們看，根本沒事。」

貍貓老爺生氣的反駁：「不可能！這傢伙身上又沒有毛，怎麼長出斑紋圖案？」接著他又拿出藥丸，硬塞到其中一隻貍貓隨從的嘴裡。不過，他也沒出現異狀。

由於藥丸真的很苦，只見那隻貍貓隨從不停搔著頭，雙眼咕嚕咕嚕的轉。除此之外，他沒發生任何異狀，毛色也沒變成斑紋。

「他怎麼可能完全沒事？為什麼只有我兒子變成斑紋貍貓？」貍

貓老爺不能接受這個事實。

鬼燈醫生見狀，神情凝重的對貍貓老爺說：「看樣子，你兒子染上的是詛咒病。」

8 貓妖的詛咒

鬼燈醫生一說出詛咒病這個結論，屋子裡的空氣瞬間凝結。貍貓隨從們紛紛倒抽一口氣，神情不安的看著彼此。貍貓老爺像消了氣的氣球般垂頭喪氣，顫抖著尾巴。

我忍不住問鬼燈醫生：「什麼是詛咒病？」

醫生嚴肅的看了我一眼。「簡單來說，這是一種受到『詛咒』引起的病。症狀很多，包括發高燒、作惡夢……」他接著轉頭看向在被窩裡沉睡的貍貓少爺，繼續說：「還有全身長斑紋……嚴重時甚

至可能致命。」

「這麼嚴重……」我忍不住吞了一口口水。

「醫生！」此時狸貓老爺突然大叫一聲，抱住鬼燈醫生。「求求你救救我兒子！求求你大發慈悲救我兒子啊！」

或許是聽見狸貓老爺的叫聲，狸貓少爺終於睜開雙眼，掀開被子爬起來，一開口便

說：「啊，肚子好餓喔……」

所有的人都在為他想辦法，他卻不當一回事。看起來完全不像面臨生死關頭的樣子，反而是他爸爸比較緊張。

鬼燈醫生被貍貓老爺緊緊抱住，露出不耐煩的表情。貍貓老爺深怕醫生不救，趕緊說：「請你想辦法救救我兒子，你想要什麼我都可以給你。」

鬼燈醫生好不容易掙脫貍貓老爺的雙臂，清了清喉嚨，調整說話的情緒：「嘿！貍貓老爺，你先冷靜一下。從古至今治療詛咒病只有一個方法，那就是找出始作俑者。隨著妖怪醫學日新月異，如今最常使用的治療方式就是打疫苗。換句話說，我們必須取得施咒者身上的任何一個部位，例如毛髮、指甲或一小塊皮膚。接著再從身體組織萃取出詛咒病毒製作疫苗，最後注射進患者體內。」

「可是，」我問：「是誰對貍貓少爺下咒？他又在哪裡？」

鬼燈醫生轉頭看向我：「你說出重點了，這就是問題所在。」他繼續說：「無論是製作疫苗或從事任何療法，不知道施咒者是誰就沒辦法進行，所以我們一定要先找出施咒者才行。對方既然對貍貓少爺下手，表示他一定對貍貓少爺懷恨在心。少爺，你有沒有跟任何人結怨？你想得出任何可能對你下咒的對象嗎？最近有沒有做什麼可能讓人懷恨在心的事情？」

貍貓少爺還沒回話，貍貓老爺便搶先開口：「我家兒子不可能跟任何人結怨……」此時，還坐在被窩裡的斑紋貍貓，忍住呵欠說：「我承認之前肚子餓的時候偷偷跑到河童家，偷吃他們田裡的小黃瓜。還吃光了貓妖留著當晚餐的鰹魚乾。我想想……我還吃了狐狸爸爸的午餐油豆腐皮，還有兩團在草叢上飄動的鬼火⑤。如果是可能讓人懷恨在心的事情，我只想得起這些了……」

貍貓老爺聽了之後勃然大怒：「你這混帳！你連鬼火也吃？那可是人類的靈魂啊！」

鬼燈醫生一臉嚴肅的點點頭。「有這些線索就夠了。」

不知為何，聽了斑紋狸貓說的話之後，我一直覺得我好像知道些什麼。突然間靈光一閃，我終於想起來了。

「啊！我知道了！是貓，是貓妖！」我忍不住大叫。「我想起來了。我看過一隻貓妖，他是虎斑貓，身上有著棕色毛皮加上黑色斑紋，跟貍貓少爺身上的斑紋一模一樣！我剛來的時候，看到一隻貓妖將尾巴放進池子裡攪動，嘴裡還唸著咒語！」

「是哪裡的池子？」貍貓老爺瞪大雙眼看著我。

我回答：「就在我坐上轎子的那個十字路口附近，有一座小小的池塘。就是那裡。」

貍貓老爺驚呼：

「你說什麼？你是說逢魔十字路口的轟隆隆池？那座池子裡的水是這附近最冰涼、最好喝的水，這座貍貓宮殿用的水全都是從那個池塘運來的。沒想到貓妖竟然在池水裡下咒！」

就在這個時候，鬼燈醫生開始唸唸有詞：「南無哆囉夜耶，南無哆囉夜耶。訶囉訶囉，喵訶囉，薩婆訶。」

那是貓妖唸的咒語！我驚訝的看著醫生，醫生也看向我，對我說：「貓妖唸的咒語是不是這個？」

我點頭回應：「沒錯！就是這個！」

「嗯。」鬼燈醫生雙手交叉在胸前，說：「這是貓妖的詛咒歌。

人家常說食物的怨念是很可怕的。鰹魚乾被少爺吃掉，貓妖自然懷恨在心，於是對少爺下咒。我認為貓妖從三天前就在轟隆隆池裡下咒，連續下了三個晚上。少爺吃藥時喝了水，才會全身冒出斑紋。問題不在藥丸，而是在水。貓妖的詛咒病毒很強，再不趕快製作疫苗的話，可能會來不及。」

狸貓老爺一聽醫生這麼說，再次抓住醫生的手。「醫生！求求你趕快救我兒子！你要什麼我都給你，請你趕快製作疫苗吧！」

醫生臉上又出現不耐煩的表情，努力掙脫狸貓老爺的手，大罵：「喂！你在幹麼！放開我！再不放開的話，我就不做疫苗嘍！

想救你兒子，現在就放開我，趕快去拔一根貓妖的毛來給我！只要拔來給我，我立刻做出疫苗。」

聽見醫生的話，貍貓老爺立刻鬆手，召集所有隨從後發號施令：「所有人聽著，現在立刻去抓住那隻可惡的貓妖，把他的毛拔下來給我！不要太客氣的只拔一根，要拔就把全身的毛連根拔起，一根不留！」

知道自己的寶貝兒子被貓妖下咒後，貍貓老爺忍不住怒火中燒，懾人的氣勢讓所有隨從嚇得說不出話來，紛紛叩頭稱是，準備出發尋找貓妖。

就在此時，一直默默站在門楣下的金長大人突然開口說話：

「館主大人，請等一等。」

金長大人說起話來穩重威嚴，在場所有的人一起抬頭看他。金長大人似乎想到了辦法，他用大大的眼睛掃過屋裡的每個人，接著說：「貓妖這個傢伙不是那麼容易就能抓到，貓妖不像我們貍貓有固定巢穴，也不可能擁有大豪宅，想要掌握他的行蹤根本難上加難。他們有不為人知的祕密貓道，來無影去無蹤。

「與其像無頭蒼蠅一樣到處亂找，浪費時間，不如利用貓妖最愛吃的鰹魚乾引他出來。」

貍貓老爺拍了一下肚子說：「這真是個好主意！」然後立刻轉身命令隨從：「你們都聽到了吧！還不快去拿鰹魚乾，趕快！」

隨從們聽見老爺這麼說，開始交頭接耳，其中一名隨從支支吾吾的回答：「啟稟館主大人，家裡的鰹魚乾已經用完了。」

「你說什麼？」狸貓老爺驚訝的瞪大雙眼。「家裡怎麼可能沒有鰹魚乾？廚房的角落隨便也有一、兩條吧？！」

隨從們面面相覷，不知該如何是好。剛剛那位說話的隨從吞吞吐吐的說：

「啟稟館主大人，廚房裡的鰹魚乾全都被少爺吃光了。」

聽到這句話，鬼燈醫生、狸貓老爺和我同時轉頭看向坐在被窩裡的少爺。只見他喃喃自語著：「肚子好餓喔！」然後打了一個大大的呵欠。

鬼燈醫生忍不住抱怨：「堂堂一隻貍貓怎麼會喜歡吃鰹魚乾呢？就是這樣才會被貓妖詛咒。」

貍貓老爺趕緊轉移話題：「既然家裡沒有鰹魚乾，那就用其他食物取代——我看用魚吧，魚應該可以引誘貓妖出來。」

鬼燈醫生說：「貓妖不會上當的。他既聰明又狡猾，看到路邊有鰹魚乾或魚，一定會覺得很奇怪，反而更加警戒，不肯出來。我有更好的誘餌，保證萬無一失。恭平，該你上場嘍！」

⑤日本人認為人死後靈魂會變成鬼火。此處指的是人類的靈魂。

9 該我上場？

「該我上場？」我忍不住複述一遍。

我根本看不出有我上場的需要，不禁感到背脊發涼。我確定鬼燈醫生一定又在打什麼餿主意。

鬼燈醫生對我說：「恭平，你就站在逢魔十字路口正中央唱一會兒歌吧！」

醫生說的話出乎我的預料，我忍不住反問：「唱、唱歌？要我唱什麼歌？」

「唱什麼歌都好。喔，對了，唱那首童謠《山寺的和尚》好了——『將貓塞進紙袋裡』——貓一聽絕對會出來。嗯，決定了，就唱這首！」

「我才不要，我不想唱這種歌！再說，我為什麼要站在妖怪世界的十字路口正中央唱歌？」

聽見我這麼問，鬼燈醫生一臉正經的回答我：「妖怪世界的十字路口正中央有人類在唱歌，這可是百年……不，千年難得一見的事情啊！

「恭平，你聽我說。妖怪天生好奇心旺盛，很喜歡湊熱鬧。要是

聽說一個人類的小孩在逢魔十字路口唱歌，一定會想一探究竟，紛紛聚集過來。我敢保證貓妖一定會來。我們只要看準時機抓住他，就能拔他的毛了。你覺得這個方法怎麼樣？很有創意吧？」

「哪有什麼創意！」我大叫。「還要我去當誘餌，你開什麼玩笑？所有妖怪都會跑出來看，我才不幹呢！要是那些妖怪心懷不軌，想要攻擊我或咬我，你要怎麼確保我的安全？」

「停停停，你先冷靜下來……」鬼燈醫生嘆了一口氣，開口安撫我：「你認為我會放你一個人不管嗎？不要擔心，我會跟你一起去。我會在你四周設下結界⑥，避免妖怪入侵。如此一來，他們只能站在一旁看你，絕對無法靠近你。我敢保證他們不能動你一根汗毛。」

一想到我要一個人站在十字路口正中央唱《山寺的和尚》，遠遠還有一群妖怪看我唱歌，我的背脊又開始發涼。

此時，站在門楣下的金長大人拿出一塊唐草圖案的包袱巾，交給鬼燈醫生：「這個你拿去。」

接著他解釋：「這是貍貓的大包袱巾。那隻貓妖一現身，你就將這塊包袱巾往他身上丟。嘴裡唸著『變大、變大』，包袱巾就會變大；反之，唸著『包起來、包起來』，包袱

巾便會包住你想包住的事物。如此一來，就能輕鬆捉到貓妖。」

鬼燈醫生開心的說：「哇，這個寶物真好用。」

眼見萬事備齊，貍貓老爺立刻命令隨從：「你去準備兩座轎子，醫生大人和助手大人要出發了。」

我還來不及做出任何反應，隨從們便陸續退下，開始準備。什麼時候我又變成鬼燈醫生的助手了？

我忍不住向醫生抱怨：「鬼燈醫生，我不想做這件事，你聽見了沒有？」

此時轎夫已經把轎子抬來，說：「稟報大人，小的已將轎子備好，等候大人上轎。」

我看到之前帶我過來的頭巾狸貓和他的搭檔，還有另一組轎夫，他們分別抬著兩座轎子停在中庭中央，等待鬼燈醫生和我上轎。

鬼燈醫生果決的說：

「我們走吧！」然後拿起黑色看診包，大步往中庭走去。在場的狸貓隨從鼓

掌歡送我們，我迫不得已，只好跟在鬼燈醫生的後頭。

我和醫生的鞋子整齊的排列在中庭裡用來放鞋子的石頭上。我才剛把腳伸進鞋子，頭巾貍貓和他的搭檔立刻一左一右架起我的身體，塞進轎子裡。

頭巾貍貓對我說：「事不宜遲，立刻出發。請您務必抓到貓妖。小的馬上送您到逢魔十字路口。」說完便抬起轎子走了。

事到如今，再抵抗也沒用；我不可能停下轎子，也不可能從轎子裡跳下來。

轎夫「嘿喲！嘿喲！」的抬著轎子往前走，我只能緊緊抓著從轎頂垂掛下來的繩子，避免身體左搖右晃。

不一會兒，轎子便抵達了目的地。

轎夫在逢魔十字路口的正中央停下轎子，等我和醫生下轎後，四個轎夫同時向我們鞠躬。頭巾貍貓低聲說：「稟報兩位大人，館主大人交代小的在前面森林等兩位歸來。請大人們完成任務，成功拔到貓妖的毛後前來會合，搭我們的轎子回到宮殿。」

話一說完，四隻貍貓便抬起兩座轎子，消失在我們的視線之外。

---

⑥結界是佛教術語，原指在特定的修行期間限定僧侶活動的範圍。經過衍生後，意指受到法力保護的範圍或界線。

10 逢魔十字路口的正中央

鬼燈醫生率先打破沉默：「好了，快上工吧！開始作戰。」

我站在一旁呆呆的看著鬼燈醫生打開黑色看診包。我在不得已的情形下被帶來這裡，就算醫生告訴我「開始作戰」，我還是不知道自己該做什麼。

醫生從看診包裡拿出一個很像粉筆的物品，顏色與形狀都跟放在學校黑板筆槽的全新粉筆一模一樣。但它似乎會吸收月光，發出藍白色的光芒。我站在十字路口的正中央，醫生蹲下來以我為中心，用粉筆在地上畫一個圓。

粉筆在泥土地上畫出來的線發出微微亮光，我覺得好神奇；但光線不一會兒就消失，醫生畫的圓也消失不見。

「好了，這樣就可以了！」

聽見醫生這麼說，我忍不住反問：「這樣就好了嗎？」

醫生向我保證：「不用擔心，相信我。」

「你要我怎麼相信你？」

「不用擔心。」

「我怎麼可能不擔心？」我忍不住大喊。

醫生聳聳肩，對我說：「好吧。你要擔心是你的自由，我管不了你。記住，千萬不能走出這個圓圈。這個圓圈是結界，妖怪進不來。你要是走出結界，我無法保證你的安全。」

「什麼？你剛剛畫的圓圈就是結界嗎？所以我不能走出那個圓圈，對吧？可是，那個圓圈消失啦！我怎麼知道在哪裡？」我慌張的看著地上，鬼燈醫生只是淡淡的說：

「給你一個忠告：不要動。隨便亂動很可能跑出圓圈之外，相當危險。我會在自己身上貼護身符，讓妖怪看不見我。然後躲在那棵樹的後面，等貓妖現身。你在這裡唱歌，記得唱大聲一點，把所有的妖怪吸引過來。」

鬼燈醫生從黑色看診包裡拿出一張我之前看過的護身符，貼在自己的胸前。只要貼上這張護身符就能像透明人一樣隱形，妖怪們就看不見他了。

「我過去嘍！」醫生交代過後便往樹林走去，我目送醫生的背影，深深的嘆了一口氣。

「為什麼會變成這樣？為什麼事情會發展到這種地步？又是我出來當誘餌？我真的好倒楣喔！」躲在樹後面的醫生彷彿聽見了我的自言自語，他先是咳了一聲，接著催促我：「小子！不要再碎碎唸了，趕快唱歌！」

「知道了啦！我唱就是了。」我心不甘情不願的回嘴。然後大聲唱歌，藉此宣洩心中的煩躁情緒。

我站在妖怪世界的十字路口正中央，唱著《山寺的和尚》：

山寺的和尚在踢球

球掉了

將貓塞進紙袋裡

當球踢　貓咪喵喵叫

貓咪喵喵叫

喵嗚喵嗚　喵喵叫

我的五音不全的歌聲迴盪在黑暗的夜空，不一會兒，一團團白色影子飄浮在十字路口的上空。我嚇得縮著肩抬頭看，看到三團熊熊燃燒的鬼火在空中俯瞰我。

我大聲尖叫，正想拔腿狂奔，幸好在抬起腿的瞬間忍住衝動——要是跑出結界外，後果不堪設想。

我仔細觀察，發現鬼火停在一定的距離外，沒有繼續往我這裡靠近。鬼燈醫生畫的結界在我四周架起防護罩，阻止妖怪入侵。

我忽然覺得自己就像動物園裡的動物一樣，關在籠子裡任遊客觀賞。鬼燈醫生真會說話，他說什麼結界可以保護我，根本就把我當猴子耍。我現在不能走出結界，只能站在原地成為妖怪湊熱鬧、看好戲的對象。換句話說，我根本就是籠子裡的猴子！

躲在樹後的鬼燈醫生低聲喊著：「喂！繼續唱，不要停！照目前這個樣子繼續唱下去，吸引更多妖怪過來！」

我氣到很想翻白眼，無奈醫生一直在身後盯著我，我沒辦法表現出來。我深吸一口氣，雖然心中有一百個不願意，還是又叫又吼的唱著《山寺的和尚》。

沒想到妖怪們真的紛紛湊過來看我唱歌，這到底是怎麼一回事？他們到底在哪裡聽見我唱歌，進而被吸引過來？

我看到一隻又一隻的妖怪齊聚在我身邊，有天狗、河童、紅鬼、青鬼、單眼小僧以及禿頭妖怪。不僅如此，還有各式各樣我不知道名字的噁心妖怪、透明妖怪，體型有大有小。我身邊聚集了一大群妖怪觀光客，將十字路口擠得水洩不通，熱鬧非凡。

我明明唱得很糟，不只走音還不成調，為什麼會有這麼多妖怪跑來看？真是不可思議。我很驚訝有這麼多妖怪聚集，慌張的四處張望，接著發現有個人，喔不，有隻妖怪撥開人群，不對，是妖怪群，擠到最前面來，對我說：

「這位小哥哥，你在這裡做什麼啊，喵嗚！」

他就是我之前看到的貓妖，絕對不會錯！那隻將尾巴伸進池子攪動，嘴裡唸著「南無哆囉夜耶」神祕咒語的貓！棕色毛皮加上黑色斑紋，身形龐大的虎斑貓！他的雙眼在月光的照射下發出金色光芒。

我繼續唱著「山寺的和尚在踢球，球掉了……」，一邊使勁看向鬼燈醫生躲藏的地方。醫生從樹後探出身體，屏氣凝神的觀察貓妖的動靜。

我看得見醫生，不過醫生胸前貼了護身符，妖怪們看不見他。

貓妖也看不見他。

接著醫生從樹後面走出來，擠開聚在一起的妖怪，慢慢走向我。

「將貓塞進紙袋裡，當球踢，貓咪喵喵叫……」貓妖聽我這麼唱，忍不住開口問：

「你唱的是貓咪的歌嗎？誰在喵喵叫啊？」

就在這個時候，我看見鬼燈醫生來到貓妖身後。

眼見時機成熟，我在心中吶喊：「就是現在！」醫生也同時往貓妖身上丟出捲起來的大包袱巾。

鬼燈醫生在漆黑的夜色中，唸著「變大、變大」的咒語。原本

捲起來的包袱巾像是應和著鬼燈醫生的命令般瞬間張開，開始像水母一樣飄浮在夜空中，愈變愈大。

醫生接著大喊：「包起來、包起來，將貓妖包起來！」

在我看來，整個過程像是飄浮在空中的包袱巾張嘴吃下貓妖。逐漸變大的包袱巾瞬間收縮，我還來不及看清楚，它已將貓妖收在包袱裡。

貓妖在包袱巾裡喵喵大叫，拚命掙扎。鬼燈醫生大喊：「計畫順利完成！捉到貓妖了！」

鬼燈醫生接著將手伸進包袱巾裡，快速的拔了好幾根貓妖的

毛，完全不拖泥帶水。不過，貓妖也不是省油的燈，他在包袱裡用力反抗，攻擊鬼燈醫生的手，惹得醫生不斷大叫：「啊，好痛！」「哇！」「這混帳東西！」

我在一旁心想：讓醫生吃吃苦頭也好。這是他第二次強迫我當誘餌引妖怪現身，怎麼可以只有我做苦工，他在一旁無所事事呢？

順利拔到貓毛後，醫生打開包袱巾，放走貓妖。

貓妖一跳出包袱巾，頭也不回的往前跑，咻的一聲消失在黑夜的盡頭。我猜他可能不知道自己發生了什麼事吧？不，這次他是被狸貓的大包袱巾抓住，說不定他以為自己遭到狸貓的詛咒吧？

鬼燈醫生對我說：「走吧！我們回狸貓宮殿吧！」

我看著圍在十字路口看熱鬧的一大群妖怪，不知該怎麼辦。

妖怪們開始鼓譟：「喂！怎麼不唱了？」「繼續唱啊！」「歡樂的夜晚才剛開始，我們還要聽歌！」

鬼燈醫生回過神來，察覺現場的狀況，點點頭說：「對喔，我

差點忘了。」接著他拿出一張「避妖護身符」，從妖怪之間的縫隙遞給我。

我趕緊接下護身符貼在自己的胸口，瞬間消失在妖怪的眼前。

禿頭妖怪首先大叫：

「快看啊！那小子不見了！」

其他妖怪見狀議論紛

紛。「他去哪裡了？」「那小子也是妖怪嗎？」

此時，鬼燈醫生和我躡手躡腳的經過群聚的妖怪身邊，離開逢魔十字路口。

我們愈走愈遠，走到聽不見妖怪鼓譟的地方，看見兩座轎子停在路邊樹下。

醫生和我一直走到轎子旁，才撕下胸前的護身符。

頭巾貍貓看見我們便問：「事情辦得如何？」

鬼燈醫生笑著回答：「一切順利。」

醫生和我分別坐上轎子，回到貍貓宮殿。

11 詛咒病疫苗

其他的貍貓一直在宮殿等我們回來，他們知道醫生成功拔到貓妖的毛，紛紛歡呼了起來。

貍貓老爺拍手叫好：「真是太好了！真是太好了！」金長大人也拍著肚子開心大喊：「太棒了！太棒了！」金長大人拍腹跳舞的動作逐漸感染其他貍貓，貍貓們一起高歌、跳拍腹舞，一時之間歡欣鼓舞的氣氛充滿整座宮殿。

砰砰！嘶砰砰！

砰！嘶砰砰！

太棒了！醫生大人砰！嘶砰砰！

太好了！助手大人砰！砰隆砰！

雖然現場瀰漫著開心的氣氛，但鬼燈醫生沒有忘記自己的工作。他開口：「事不宜遲，我得趕快製作疫苗才行。貍貓老爺，請借個房間讓我做事。恭平，你跟我來。」

我忍不住抱怨：「什麼嘛！你真的把我當助手使喚啊？」

不過，醫生完全忽略我的抱怨，根本不理我。

貍貓們還在稱讚鬼燈醫生的偉大成就，忘情的跳著拍腹舞。鬼燈醫生挺起胸膛，跟著負責帶路的貍貓隨從往外走。

我嘆了一口氣，轉身跟在醫生後面。

貍貓隨從將我們帶到迴廊盡頭的小房間。房間裡很安靜，地上鋪著榻榻米，正中間放著一個正方形地爐；粗糙的砂牆上鑲著一扇大大的圓形雪見窗⑦，還有一個裝飾掛軸的凹間⑧。我猜想這個格局方正的小房間可能是茶室，不禁在內心讚歎貍貓宮殿真是氣派。

帶我們到這裡的隨從對我們說：「請醫生使用這個房間。」接著點燃凹間旁的紙燈籠，拉上紙拉門後離去。

「很好。現在一切就緒，我們開始製作疫苗吧！」鬼燈醫生開心的搓著雙手，從黑色看診包拿出一個又一個化學實驗器材，包括酒精燈、鐵架、圓底燒瓶、吸量管、試管架和五根試管，最後還拿出大大小小、裝著各式藥劑的褐色密封瓶。

鬼燈醫生動作俐落的將所有器材排放在地爐旁的木框上。做好一切準備後，他從口袋裡拿出火柴，點燃酒精燈。

鬼燈醫生操作實驗裝置的動作迅速又確實，看起來十分優雅。醫生的手指又長又細，十根手指像是有自己的主張，在器具和

藥劑之間舞動。宛如跳著華爾滋般輕盈流暢，依序完成各種步驟。

我忍不住被醫生的動作吸引，看到入迷。

醫生拿起一個褐色小瓶，將裝在裡面的淡綠色透明液體倒入圓底燒瓶，接著以鑷子夾起一根貓妖的毛，放進圓底燒瓶。

圓底燒瓶放在鐵架上，底部的酒精燈已經點起火，慢慢加熱燒瓶裡的淡綠色藥劑。

沉入液體中的貓妖毛開始像漩渦般轉動並慢慢融化，原本淡綠色的液體逐漸變成亮藍色。

等到貓妖毛完全融化，藥劑變成鮮豔的鈷藍色後，醫生關掉酒精燈，將圓底燒瓶從鐵架上拿下來。接著將燒瓶裡的液體倒入試管架上的五根試管。

醫生的動作比剛剛更加嫻熟俐落，倒入五根試管的藍色液體量竟然完全相同，好像事先測量過一樣。

倒空燒瓶裡的藍色液體後，醫生吐了一口氣，舒緩緊張情緒。

他接著拿起吸量管伸入褐色密封瓶，吸取適量藥劑後，滴兩滴藥劑在試管裡。他分別吸取五瓶不同藥劑，每根試管滴入的藥劑都不一樣。

此時醫生突然對我說：「恭平，你拿著這個。」我趕緊挺起上

身，接過醫生遞給我的物品。我仔細一瞧，那是一條細細的紫色繩子，上面繫著一顆小小的金色鈴鐺。

我不知道為什麼醫生要給我這個，於是開口問：「這個鈴鐺要做什麼呢？」

醫生盯著五根試管，一邊回答我：「你聽好，現在每根試管都裝著從貓妖毛萃取的病毒培養液。我剛剛分別加入可以促進病毒增生的五種藥劑；換句話說，現在試管裡會開始孳生病毒。

「最先成熟的病毒會以具體形象出現。這裡有五根試管，所以會產生五株病毒體。當我指定其中一株病毒體，你就將鈴鐺繫在貓脖子上。」

「咦？……你說什麼？……蛤？」我完全無法消化醫生說的話。剛開始還聽得懂他的意思，但是從「產生五株病毒體」之後，我就完全聽不懂了。他還要我「將鈴鐺繫在貓脖子上」，這到底是什麼意思呢？

「醫生，我不懂你的意思……」我話還沒說完，醫生就對我說：

「你看就知道了。」

就在此時，試管裡的液體開始發生變化。

鈷藍色培養液不斷冒泡泡，並竄出類似水蒸氣的白色氣體。

不一會兒，其中一根試管冒出一團白色氣體；我定睛一看，煙霧瀰漫中竟然出現一隻貓！

那是一隻棕色毛皮加上黑色斑紋，看起來很凶猛的貓。他擺出呲牙裂嘴的架勢，背上的毛直挺挺的豎起，瞪著醫生和我。

鬼燈醫生低聲說：「這隻不行，脾氣太差。」

接著醫生拿起吸量管，從另一隻手上的褐色小瓶吸取紅色藥劑，滴入試管中。

當紅色藥劑滴入試管的那一刻，原本呲牙裂嘴的斑紋貓和煙霧立刻消失。

當醫生正在處理第一株病毒體之際，這次換成最右邊的試管開始冒煙。在煙霧中現身的是比剛剛更

凶惡、更胖的斑紋貓，只見他「喵」的一聲，看似要往我們身上撲過來。

說時遲那時快，鬼燈醫生搶先將紅色藥劑滴入試管中，他的動作比斑紋貓還快。藥劑滴入試管後，斑紋貓和煙霧也跟剛剛一樣迅速的消失了。

陸續出現的第三、第四隻貓似乎也不符合鬼燈醫生的需要，他們全都呲牙裂嘴的低吼，背上的毛全部豎起來，於是醫生又用紅色藥劑消滅他們。

醫生煩躁的說：「不行，都不行！這些病毒體的病原性都太強了，不適合製作疫苗。必須培養出更溫和的病毒才行。」

第五隻貓……不，要是連第五株病毒體都不行，那該怎麼辦？我不禁擔心起來。該不會無法完成疫苗吧？

不知什麼原因，最左邊的試管遲遲沒冒煙。

我和醫生屏氣凝神的觀察，只見煙霧一直堆積在

試管口，就是不冒出來。

又過了一會兒，終於看到一股白煙緩緩從試管口裊裊升起。煙霧漸緩後，一隻貓現身了。

我小聲叫好，等看清楚貓的身影，不禁覺得訝異。

第五隻貓正在睡覺。現身在煙霧裡的胖胖斑紋貓蜷著身體，一臉幸福的呼呼大睡。

醫生開心歡呼：「成功了！我等的就是他！恭平，快點，把鈴鐺繫在他的脖子上！」

「喔，好！」我慌慌張張、小心翼翼的伸出手。我必須在不吵醒他的狀況下，輕輕的將掛著鈴鐺的繩子繞過他的脖子再綁起來。整個過程中我很擔心吵醒貓，所以做每個動作都很小心。幸好那隻貓睡得很香甜，一動也不動的讓我成功繫上鈴鐺。

「太好了！醫生，我成功了！」我輕聲向醫生報告，醫生用力點點頭，拿起吸量管吸取黃色藥劑，滴入最後一根試管。

當那滴藥劑落入試管，鈷藍色液體瞬間從藍色變成金色；原本在試管上方繚繞的煙霧，迅速往試管內縮，連同繫著鈴鐺的貓一起

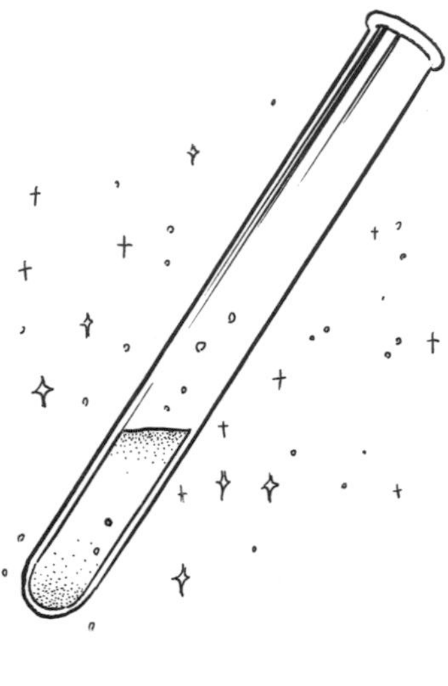

沒入金色液體。

這一切彷彿作夢。我呆呆的盯著試管，鬼燈醫生在一旁滿意的笑了。「太好了，疫苗製作完成。將鈴鐺綁在病毒體的脖子上，我們就能控制病毒體，製成疫苗。這株病毒體原本就很溫馴，綁上鈴鐺可以進一步削弱他的威力。換句話說，就是降低他的病原性。」

我雖然不是很懂醫生說的話，但我知道一件事：我們完成了治療詛咒病的疫苗。醫生手裡的金色液體正是治癒詛咒病的藥劑。

醫生拿出一根大針筒，以針頭吸滿詛咒病疫苗，便往貍貓少爺的房間走去。

貍貓老爺在少爺的房間耐心等待，一見醫生拿著針筒出現，便戰戰兢兢的問：

「醫生，這個疫苗真的能救我兒子嗎？萬一失敗的話……」

鬼燈醫生「哼」了一聲，不悅的看著貍貓老爺。「你不知道我是誰嗎？你不相信大名鼎鼎的鬼燈京十郎嗎？不要無謂的擔心，在一旁看著就是了。」

醫生說完便將針頭插入呼呼大睡的少爺的手臂，將疫苗注射進去。不過，少爺並沒有醒來。

只見少爺嗚嗚了幾聲，還用手搔了幾下肚子。

醫生注射完疫苗後，少爺的身體開始變化，我忍不住驚呼。房間裡完全沒風，少爺全身的毛卻像有生命般窸窸窣窣蠕動著，而且開始發出金色光芒。

我想也沒想便脫口說出：「噁，好噁心！」狸貓老爺手足無措的湊到鬼燈醫生身邊驚叫：「醫生！我兒子、我兒子變成金色的了！他發出金色光芒了！」

鬼燈醫生平靜的看著這一切。他低頭看著全身發出金光的少

爺，嘴角露出滿意的笑容。

少爺在我們的注視下睡得很香甜。他雖然全身發出金光，但我發現，沒過一會兒光芒便逐漸變弱；少爺身上的光芒像傍晚的夕陽愈來愈黯淡，最後不再發光。

一切平靜之後，在我們眼前呼呼大睡的是一隻身上長滿棕色毛髮的貍貓。

我忍不住大叫：「少爺身上的斑紋不見了！」

貍貓老爺也跟著大喊：「哇！我兒子恢復正常了！」

鬼燈醫生只是淡淡的回答：「那還用說。」

⑦高度較低，可欣賞地面積雪的窗戶。

⑧日本和室特有的裝飾，由床柱、床框在房間一角做出一個內凹的小空間，利用掛軸、花藝盆景裝飾。

12 怎麼來的就怎麼回去

貓妖的詛咒圓滿落幕，貍貓少爺恢復正常。

鬼燈醫生得意的說：「我的字典裡沒有『失敗』兩個字。」貍貓們又再次讚頌醫生的偉大，跳起拍腹舞。

儘管四周瀰漫著一股迎接快樂結局的歡樂氣氛，我卻沒有心情享受，因為我還不知道該如何回家。

鬼燈醫生也沉浸在拍腹舞的歡呼聲中，一臉得意的捏著自己的翹鬍子。我輕輕拉了一下他的白袍衣角，說：「醫生，我差不多該回去原來的世界了……」

醫生看了我一眼說：「我差點忘記問你，你今天為什麼會出現在這裡？」

一整天把我當助手呼來喚去，到現在才關心我，會不會太過分了！——雖然我內心這麼想，但這個時候跟他抱怨也沒用。我嘟著嘴向醫生說出來龍去脈。

聽完我的敘述後，醫生對我說：「連結人類世界和妖怪世界的入口不是只有一處，很多地方都有。通常有大樹或大石頭這類可做為明顯記號的地方，就是通往異世界的大門。你不小心絆到的石頭應該就是其中之一。雖然不是故意的，但你在那裡搖了魔法鈴，才會打開大門，跌入妖怪世界裡。」

我接著問：「那現在呢？我該怎麼做才能回到人類世界？」

醫生回答：「怎麼來的就怎麼回去。」

簡單來說，我只要回到逢魔十字路口旁的大石頭處，在那裡搖魔法鈴就能回家。

「什麼啊！原來這麼簡單！」知道回家的方法讓我鬆了一口氣，但這方法實在太簡單了，又讓我忍不住懊惱。我今天已經來回走過逢魔十字路口好幾次，要是我早點知道回家的方法，之前就能搖魔法鈴回家了。

「我再提醒你一次，怎麼來的就怎麼回去，了解了嗎？要一模一樣喔。」醫生再次慎重其事的叮嚀我，接著拜託貍貓老爺將我送到逢魔十字路口。

在貍貓老爺的命令下，頭巾貍貓和他的搭檔再次抬著轎子出來。

「恭請大人上轎，小的送大人到逢魔十字路口。」頭巾貍貓說完後，鬼燈醫生在他耳邊說了幾句悄悄話，讓我十分不解。

貍貓隨從大聲宣告：「助手大人起駕！」這是我今天第四次坐上貍貓轎子。

轎夫關上轎門前，鬼燈醫生探頭往轎裡看，對我說：「恭平，你真的不想當我的助手嗎？其實你很有天分，只要今後努力學習，未來你一定可以成為知名的妖怪內科醫生。」

我還來不及回答「好」或「不好」，轎門就關上了，將我和醫生隔開。

我終於要回家了——不知道為什麼，一想到這裡，我的心中卻有一絲絲的失落感。

我之前那麼想回家，現在終於可以回家，內心卻感到落寞。這就是我對妖怪世界的感覺。

頭巾貍貓和他的搭檔抬起轎子，目送我離開的貍貓隨從紛紛對我大喊：「助手大人，祝你身體健康！」「助手大人萬歲！」「再見！再見！」

轎外響起「嘿喲！嘿喲！」的叫聲，頭巾貍貓和他的搭檔抬著轎子往逢魔十字路口前進。

轎子搖搖晃晃的來到逢魔十字路口後，頭巾貍貓和他的搭檔「砰」的一聲將轎子摔在地上，無預警的拉開轎門。

我驚訝的想：「動作也太粗魯了吧？」然後探頭問：「已經到了嗎？」

環顧四周，我的心臟差一點就要停

止跳動。

轎子就停在逢魔十字路口的正中央，轎子旁擠滿了之前聚集在此的妖怪。

「那小子在這裡！」

「太好了，終於找到他了！」

「在等什麼，還不快唱歌！我還要聽！」

看來那些妖怪在我走了之後並沒離開，一直守在這裡等我回來，我不禁佩服他們的耐心。早知如此，我應該留著醫生給我的避妖護身符——現在後悔也來不及了。

我大叫一聲，從轎子裡滾出來。接著抓準時機，趁隙從妖怪群中跑出來，慌張的大聲求救：「救命啊！」

「小子，別跑啊！」一大群妖怪在後面追著我跑。

我加快腳步逃走，三步併兩步的從十字路口逃進陰暗森林裡。妖怪們還在我身後緊追不捨。

我離開道路，跑進森林裡的草叢。就在此時，我的右小腿撞到某個堅硬物體，整個人往前跌倒。

我「哇」的大叫一聲，同時聽到一陣清脆的鈴鐺聲。狠狠跌了一跤的我拍了拍疼痛的右小腿站起來——

我發現我站在橡果公園入口處，那個我一心想回來的地方。前方有一顆又大又圓的石頭，鬼燈球魔法鈴就滾落在石頭邊。

我撿起魔法鈴收進口袋，撥掉褲子上的泥土後站在原地，腦中一片空白。

「原來『怎麼來的就怎麼回去』是這

麼一回事啊。」我默默想起鬼燈醫生說的話。

我回頭一看，藍色的路燈照在熟悉的街道上，看不見任何妖怪的影子。

「我回來了，我終於回來了。」鬼燈醫生說的沒錯，我絲毫不差的重現之前每個過程，順利的回到橡果公園的入口。

我抬頭看公園裡的時鐘，發現時間幾乎沒有流逝。從我來這裡拿值日生袋，到不小心闖入妖怪世界，再從妖怪世界回來，整個過程只有短短五分鐘。

我低頭看向陰暗的公園深處，發現白色值日生袋依舊好好的躺在最裡面的長椅上。我慢慢走到長椅旁，拿起白色袋子。

就在此時，一團黑影從長椅下方跳出來，輕輕碰了一下我的腳。

我嚇了一跳，靜靜看著那團黑影，發現那是一隻棕色毛皮加上黑色斑紋的虎斑貓。我不由得驚呼：「是你……嗎？」

虎斑貓盯著我看，然後別過頭去，消失在夜晚的街頭。牠只是一隻普通貓咪，口中並沒有唸著「南無哆囉夜耶」等咒語。

此時反而是我開始喃喃自語：「南無哆囉夜耶，南無哆囉夜耶。訶囉訶囉，喵訶囉，薩婆訶。」

我邁開腳步，走上回家的路。天上掛著散發蒼藍月光的半顆月

亮，就和我在逢魔十字路口看見的一樣。冷冽的秋風一直灌進我的胸口，路燈排列在街道兩邊，守護我一路到家。

鬼燈京十郎的診療日記　詛咒病篇

11月10日星期五

今天到狸貓宮殿治好了狸貓少爺的詛咒病。狸貓少爺平時就很貪吃，一提到吃便失去理智，只要是他看得到、拿得到的，就算是別人的食物也會搶來吃光光。如此任性，受到詛咒也是可以理解的事情。在妖怪的世界裡，絕對不可小看妖怪對於食物的怨恨。

話說回來，狸貓宮殿的館主大人狸貓老爺特地從阿波請來金長大人，與他商量自己兒子罹患的怪病。我看到金長大人出現在宮殿時感到十分驚訝。金長大人深諳狸貓學，可說是狸貓界一等一的菁英。無論智慧與膽量，無狸貓可出其右。

說到金長大人，他可是在阿波狸合戰[9]一役中，與津田六右衛門大戰的對手，也就是大名鼎鼎的日開野金長。這場戰役驚天動地，儘管金長戰勝了六右衛門，但傳說他在戰爭中受傷，後來不幸身亡。今天親眼見到他本人，看起來神采奕奕，活力充沛。由此可見，傳言是假的。

不僅如此，狸貓宮殿還有另一位貴客，他就是從人類世界誤入妖怪世界的少年——峰岸恭平。多虧有他的幫忙（簡單來說，他今天又當誘餌引妖怪現身），我今天才能順利完成詛咒病疫苗。但我忍不住思考，難道這次又是巧合？我總覺得我跟這位少年很有緣。我有預感，有一天我們一定還會再相遇。

⑨相傳日本江戶時代末期，發生在阿波國（現日本德島縣）的貍貓之間的戰爭。

456
讀書會之妖怪小學堂
在妖怪的世界裡，
各式妖怪形形色色如百花爭放。
你還認識哪些妖怪呢？
一起來看看關於這些妖怪們的小祕密吧！

狸貓

日本傳說裡最善於變身、改變形體的妖怪，非狸貓莫屬。狸貓這種妖怪最喜歡惡作劇、嚇唬人，故意與人作對。不過也有狸貓在接受人類幫助後，變身販賣商品，然後把賺來的錢給人類。

有時候狸貓惡作劇之後會得意忘形，反而暴露自己的偽裝。例如變身跑進酒窖偷喝酒，結果醉倒了，變回原形躺在院子裡呼呼大睡，被人類逮個正著。

貓妖

　　由貓幻化而成的妖怪，據說年紀愈大愈有可能幻化成妖，而且隨著修練的能力增強，貓尾巴的數量就會增加；尾巴愈多條的貓妖，等級愈高、愈厲害。據說貓有九條命，每多長一條尾巴就多一條命，長出九條尾巴以後就能化為人形。

　　日本傳說中最厲害的貓妖名叫「貓又」，擁有兩條尾巴。尾巴愈粗、分岔愈明顯，妖力愈強。凶殘的貓又，牙齒銳利又有力，甚至可以撕碎其他的妖獸。據說貓妖也會故意假扮成老婆婆或美少女，在路邊欺騙、戲弄人類。

紅鬼青鬼

在日本傳說裡，鬼跟幽靈不一樣；鬼有形體，而且面目猙獰，頭上長角。紅色皮膚的鬼稱為紅鬼，也叫赤鬼；藍色皮膚的鬼是青鬼。他們的身上只圍一件虎皮，手裡拿著狼牙棒，經常出現在民間傳說故事裡。像在《桃太郎》裡，從桃子出生的少年桃太郎，帶著夥伴狗、猴、雞前往惡鬼島，首先打敗的兩隻惡鬼就是紅鬼和青鬼。

而日本兒童文學作家濱田廣介也曾經以紅鬼和青鬼為主角，寫下童話《哭泣的赤鬼》。故事描述紅鬼想要與人類做朋友，但是人類非常害怕也排斥惡鬼，所以根本不願意接近他。青鬼知道紅鬼的心願後，故意去騷擾和欺負人類，再讓紅鬼出來相救。後來，大家雖然接受紅鬼是善良的好鬼，但是更討厭青鬼。和人類成為好朋友的紅鬼卻再也找不到青鬼，因為青鬼已經離開。最後，只剩紅鬼流下哀傷的眼淚。

河童

傳說在日本有一種生物居住在河川裡，看起來像小孩子，所以被稱為「河童」。據說河童有鳥的嘴巴，四肢像青蛙，身後背著一個烏龜的殼，但行動跟猴子一樣靈活。他們身上有臭味和黏液，滑溜且不好被捕捉。長在他們頭頂上的碟子裡的水若是流乾，他們就會喪失精力，所以這也是他們的弱點。

據說河童最喜歡吃的食物是小黃瓜、茄子和南瓜，他們還喜歡在河邊跟小朋友玩相撲，看誰先把對方摔進河裡。

單眼小僧

日本的單眼小僧妖怪有兩種形象：一種是手拿豆腐，臉上只有一個眼睛的光頭小和尚。他喜歡突然跳出來嚇人，或請人家吃豆腐，但吃了豆腐的人身上會發霉。

另一種被稱為單眼小僧的妖怪也叫唐傘小僧，是一種由百年油紙傘變成的妖怪。他們看起來就像一把油紙傘，傘面上只有一個眼睛，還吐著舌頭；傘柄的位置就是他們的腳，腳下踩著木屐。因為只有一隻腳，所以是跳著走的。

妖怪醫院 2

狸貓宮殿大騷動

文｜富安陽子
圖｜小松良佳
譯｜游韻馨

責任編輯｜許嘉諾
美術設計｜林佳慧、王正洪
行銷企劃｜葉怡伶

發行人｜殷允芃
創辦人兼執行長｜何琦瑜
副總經理｜林彥傑
總監｜林欣靜
版權專員｜何晨瑋、黃微真

出版者｜親子天下股份有限公司
地址｜台北市 104 建國北路一段 96 號 4 樓
電話｜（02）2509-2800　傳真｜（02）2509-2462
網址｜www.parenting.com.tw
讀者服務專線｜（02）2662-0332 週一～週五：09:00~17:30
讀者服務傳真｜（02）2662-6048
客服信箱｜bill@cw.com.tw
法律顧問｜台英國際商務法律事務所・羅明通律師
製版印刷｜中原造像股份有限公司
總經銷｜大和圖書有限公司　電話：（02）8990-2588

出版日期｜2016 年 10 月第一版第一次印行
2021 年 6 月第一版第十六次印行
定價｜260 元
書號｜BKKCJ036P
ISBN｜978-986-93668-3-0

訂購服務
親子天下 Shopping｜shopping.parenting.com.tw
海外・大量訂購｜parenting@cw.com.tw
書香花園｜台北市建國北路二段 6 巷 11 號　電話（02）2506-1635
劃撥帳號｜50331356 親子天下股份有限公司

立即購買 >

國家圖書館出版品預行編目（CIP）資料

妖怪醫院. 2, 狸貓宮殿大騷動 / 富安陽子文；小松良佳圖；游韻馨譯. -- 第一版. -- 臺北市：親子天下, 2016.10
160 面；17x21 公分. -- (樂讀 456 系列；36)
ISBN 978-986-93668-3-0(平裝)

861.59　　105017607